과분한 사랑 정말
항상 감사드립니다!

GARBAGE TIME

DASAN COMICS

매일매일 새로운 재미, 가장 가까운 즐거움을 만듭니다.

한국을 대표하는 검색 포털 네이버의 작은 서비스 중 하나로 시작한 네이버웹툰은 기존 만화 시장의 창작과 소비 문화 전반을 혁신하고, 이전에 없었던 창작 생태계를 만들어왔습니다. 더욱 빠르게 재미있게 좌충우돌하며, 한국은 물론 전세계의 독자를 만나고자 2017년 5월, 네이버의 자회사로 독립하여 새로운 모험을 시작하였습니다.

앞으로도 혁신과 실험을 거듭하며 변화하는 트렌드에 발맞춘, 놀랍고 강력한 콘텐츠를 만들어내는 한편 전세계의 다양한 작가들과 독자들이 즐겁게 만날 수 있는 플랫폼으로 거듭나고자 합니다.

#12

가비지타임

글·그림 2사장

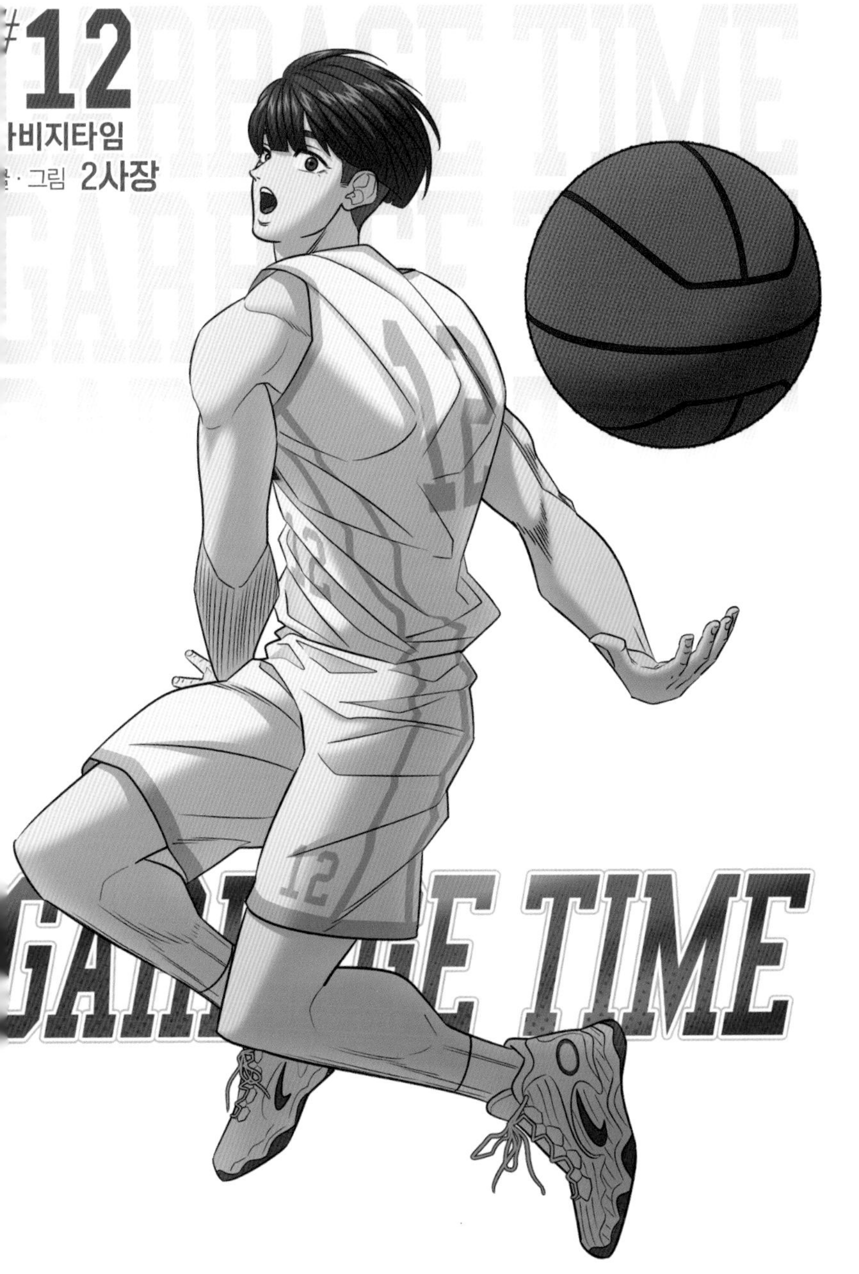

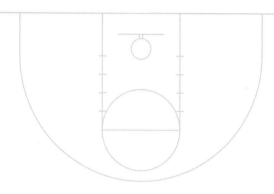

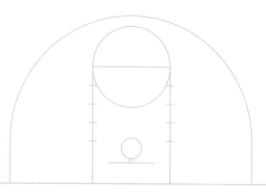

CONTENTS

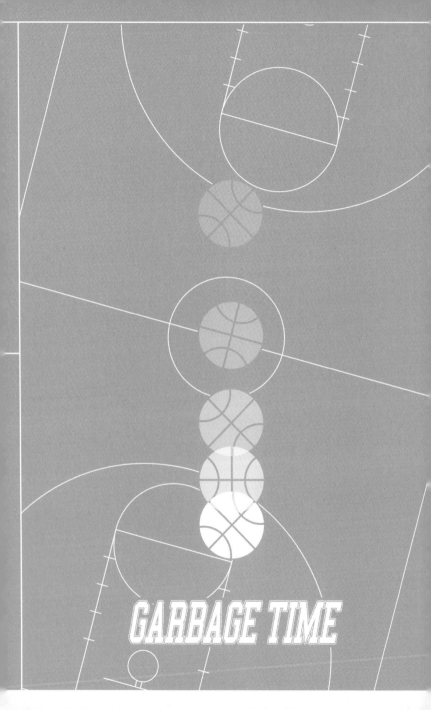

GARBAGE TIME

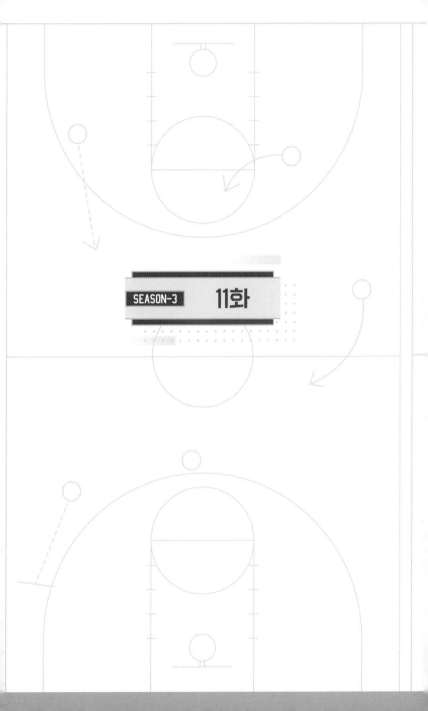

SEASON-3　11화

GARBAGE TIME

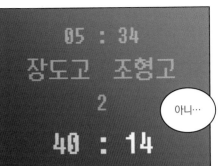

05 : 34

장도고   조형고
2
40 : 14

아니…

병찬 햄
제끼고 드가서
바로 덩크라니

직접 보니까
훨씬 대단하네….

갑자기
파워 인플레이션
뭔데…?

ㄹㅇ 완전 밸붕임
어떡함.

이대로면
우리 X무치, X진반 롤
되는 거임.

장도고…
풀코트 프레스는
결국 관두네요.

아까 전에
박병찬의 공격 한 번으로
알게 된 거지.

프레스는 오히려
박병찬을 살려주는
짓이라는 걸.

나와.

야.

오!

이번엔 박병찬 공격에 최종수가 수비인 매치업이다!

박병찬 너도 한번 보여줘!

종수야! 상대 팀 에이스까지 직접 맡으려면 안 힘드냐!?

종수 자식 아주 지 맘대로라니까!

이 싸가지 없는 자식….

형아가 버릇을 단단히 고쳐주마.

둘 중에 누가 위라고 생각하세요?

너부터 말해봐.

전 종수죠.

나는 뭐, 둘이 거의 비슷하다고 생각하긴 하는데

이런 식의 일대일이라면

당연히

최종수지.

으왓!?

아까비!

거의 뺏길 뻔했어!

박병찬도 수비가 수준급이긴 하지만

최종수의 퍼리미터 디펜스는 고등부에서 최고니까.

최종수 바로 다음가는 퍼리미터 수비수로 평가받는 전영중이나 이규에 비해 최종수가 특히 우위인 점은 역시⋯

造 形
21

블록슛.

애매한 센터들보단
블록 수치가 많이 나오는
녀석이니 뭐…

말 다 했지.

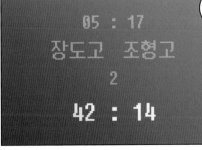

05 : 17

장도고 조형고

2

42 : 14

마,

말도 안 돼.

병찬 햄이…

이래 막힐 수가
없는데…?

뭐야,
박병찬?

아깐 그냥
운이였나?

들었던 만큼
대단한 놈은 아닌 거
같은데?

부상 여파가
아직 남아 있는
건가?

박병찬도 최종수한텐
안 되는구나.

웬 1학년한테도
고생했다는데 새삼.

재도 이제
끝났지, 뭐.

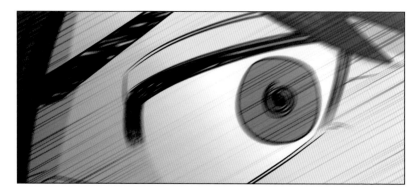

제꼈다!

헬프!

…!!!

나이스 패스!!!

05 : 04

장도고   조형고

2

42 : 16

기가 막힌
어시스트다!!!

와!
역시 박병찬도 대단한 건
매한가지네요!

최종수의 디펜스를
벗겨냈어요!

방금 패스는
정말…

주찬양이 박병찬 쪽으로
헬프를 가는 척 움직이면서
조형고 22번한테 킥아웃 패스를
주도록 유도했고

주찬양의 의도대로
그쪽에 패스가 가나
싶었는데

안으로 들어가는
15번을 봤어.

15번, 22번의 움직임을
전부 파악하고 있지 않았다면
할 수 없는 플레이야.

이 정도
패싱 센스는

최종수한테는
없어.

그건 뭐…
우열이라기보단
역할, 스타일의 차이라고
생각해요.

박병찬은
듀얼가드고

종수는 완전히
스코어러 타입의
슈팅가드니까.

이 자식 완전히
최종수한테 빠졌구만.

꿈 깨셔.
최종수가
우리한테 올 일은
없으니까.

제가 그걸 모르겠어요?
그냥 팬심 같은 거죠.

26

야.

오른쪽으로
가다가

멈춰서
점프슛.

…?

막아봐.

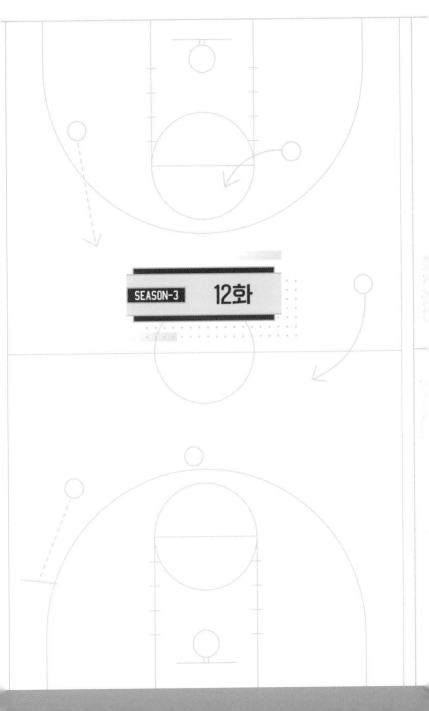

SEASON-3 12화

GARBAGE TIME

나이스 샷!!

04 : 50

장도고　조형고
2

44 : 16

여욱시
최종수!

실망시킨 적이
없다니까!

아니,
점프슛 내려오면서
떤지는 거 뭔데?

농구
X까지 하네….

왜 알려줘도 못 막아?

심리전 거는 거 아닌데.

에휴

이거 완전 애X끼구만.

캬~!

눈이 정화되는 에이스 Showdown!

이게 농구지!

경기력이
높을수록…

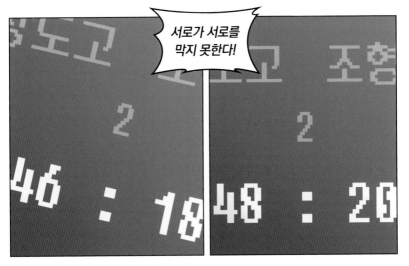

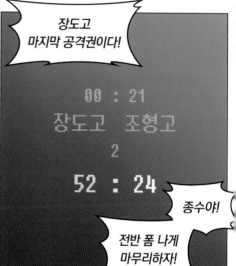

장도고
마지막 공격권이다!

00 : 21
장도고　조형고
2
52 : 24

종수야!

전반 폼 나게
마무리하자!

멋진 거
하나 보여줘!

아니…

나밖에 없잖아…!

이거

너무

빠르다고…

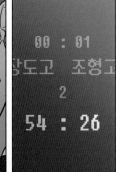

…!!!

으…

...으으
으아아아~~~
예쓰!!!

바로 이
손맛이거든!!!

2쿼터 종료

X신.

28점 찬데
덩크 하나 하고
좋단다.

저번에
다치고 나서야
확실히 알겠더라고.

최종수는
3쿼터 종료 시점에
교체 아웃될 때까지
37득점을 기록했다.

조형고로선
병찬이 형의 활약을 앞세워
점수 차가 벌어지는 속도를
늦췄던 것이 할 수 있는
최대한의 반항이었고

00 : 00

장도고   조형고

4

101 : 59

병찬이 형이 교체 아웃되자
점수 차는 다시 빠르게
벌어졌다.

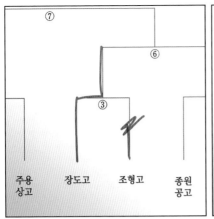

⑦

⑥

③

주용
상고　　장도고　　조형고　　종원
　　　　　　　　　　　　　　공고

경기는 그래도
이변 없이 종료됐다.

병찬 햄!

오늘 경기
잘 봤어요.

최종수와의
영혼의 맞다이!

완전 감동했습니다!

47

최종수 그 X끼
말도 꺼내지 마.

싸가지 없는
자식…

그 X끼가
병찬이 형한테
뭐라 한 줄 알아?

됐어.
별일 아냐.

잠깐
빡치긴 했는데
뭐…

뭔 일
있었어요?

글고 보니까 게임 중에
테크니컬 파울
얘기하던 거 같긴 한데…

그냥 불쌍한
어린애가 한 말이라
생각해서 신경 안 써.

야, 그보다 너네 결승 진출했다면서!

진짜 축하한다. 한 달 전이랑은 완전 다른 팀이 됐어.

저희 아직 4강전 안 했는데….

진훈정산이랑 하더만. 니네가 이기겠지, 뭐.

결승에서 최종수를 수비하는 건 아마 너겠지?

4강부터는 X튜브에서 생중계한다니까 시간 나면 봐야겠다.

아무튼 기대하고 있을게. 이제 간다!

형, 빨리 와!

알았어!
간다, 가!

또 봐요~!

내가…

최종수를….

같은 날

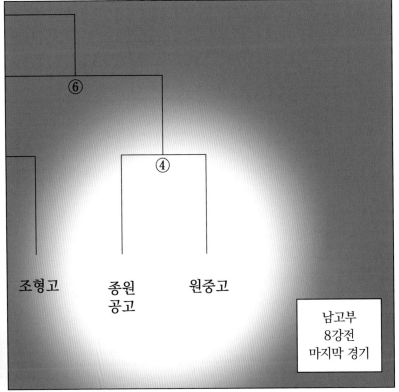

⑥

④

조형고

종원
공고

원중고

남고부
8강전
마지막 경기

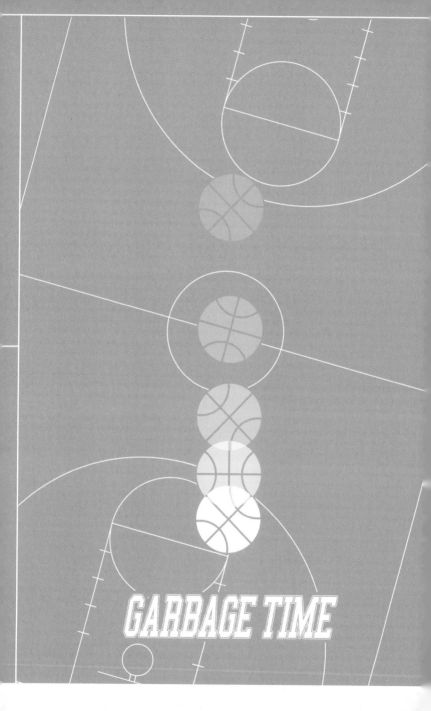

GARBAGE TIME

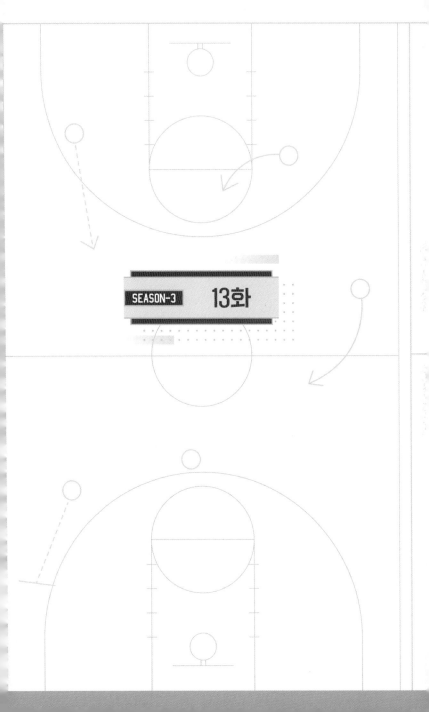

SEASON-3　13화

GARBAGE TIME

아~

굳이 이 게임까지 봐야 돼요?

둘 중 누가 이기든 짜피 4강에서 장도고한테 깨질 텐데.

09 : 04

종원공고   원중고

2

20 : 23

원중고 자식들 지겨워 죽겠네.

오늘은 제발 집에 가라.

뭐, 장도고가 결승에 올라올 확률이 높은 게 사실이지만은

종원공고도 늘 4강권 안에 드는 강팀이고

원중고랑 장도고를 이기고 올라올 확률이 제로는 아이니까….

아 대충 세 컷 정도에 나레이션 써서 빠르게 넘어가죠.

간만에 일상 파트 각인데.

그렇다.

평소의 원중고에게라면 종원공고는 분명 한 수 내지 반 수 아래의 상대.

하지만 주전 멤버가 한 명 빠진 상태로 이번 대회에 참가한 지금의 원중고에게

종원공고는 오히려 한 수 내지 반 수 위의 상대!

아니, 지루해 죽겠네.

08 : 12

종원공고   원중고

3

34 : 31

센 팀 둘이서 붙는데 점수가 왤케 안 남?

아, 햄 뭐 해요!?

ㅎㅎ ㅈㅅ;

아무튼

원중고의 희망 'The Machinegun' 조재석

농구력: 53만 KSH

이날 경기에선 최악의 슛감 난조로 3점슛 여덟 개 시도 중 단 한 개만을 성공

기능고장!

기능고자우ㅜ!

팀에 전혀
도움이 되지
못한다.

하지만

조재석의 삽질을
만회하는
활약을 펼친

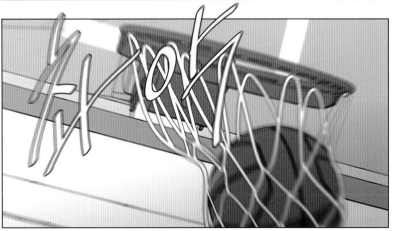

지국민
'The Korean Citizen'

아즈아아앗!!!

농구력 측정 불가
(스카우터 폭발하는 연출 필수)

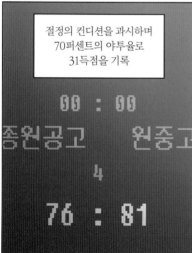

절정의 컨디션을 과시하며
70퍼센트의 야투율로
31득점을 기록

00 : 00

종원공고   원중고

4

76 : 81

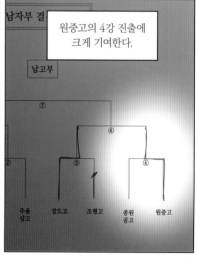

남자부 결

원중고의 4강 진출에
크게 기여한다.

남고부

⑦

⑥

②   ③   ④

주룡   장도고   조형고   종원   원중고
상고   공고

그리고…

쌍용기 전국남녀고교농구대회

4강

지상고등학교 : 진훈정보산업고등학교

대망의
4강전 당일!

깔끔했다.

61

일상 파트 ㄱㄱ!

오!

지상고 경기
중계 시작한다!

야~!

창현아~!

서로 생긴
모스…!

……

*알로사우루스[Allosaurus]
후기 쥐라기(약 1억 5천만 년 전)에 살았던 수각류 육식 공룡.

미국, 포르투갈, 탄자니아, 오스트레일리아
지역에서 화석이 발견되었다.
당시 생태계 최정점에 위치한 사냥꾼이었지만
이미 죽은 동물을 먹기도 하였다.

아니 뭐가
다른 건데 대체….

야! 너
선배한테 말버릇이
그게 뭐야!?

맞아! 내가 엄마한테
용돈 받은 거 아껴서
다X소 가서 사 온 건데…!

인석이 형님이
어머니 용돈이라니…

이혼하고 10년째
독신일 거 같은 얼굴 하고서
말 같지도 않은 개소리
갖다 치우십쇼, 형님.

이게…!

우와아아아앙!!!

야!
애를 왜
때리고 그래!?

끽!

으윽…!

어디…

되지도 않는
패스를…!

앗!

에라이.

내도
읽었는데….

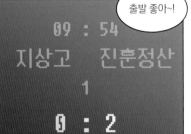

출발 좋아~!

09 : 54

지상고　진훈정산

1

0 : 2

나이스~!

운이 나빴네···

오늘 경기 어떻게 예상하세요?

지상고가 이길 확률이 한 60~70퍼센트 되는 거 같은데.

스코어는요?

지상고 80에…

진훈정산이 60 정도?

오~ 20점 차나?

근데 점수 차가 큰 거치고는 진훈정산 쪽 승률이 꽤 높네요?

애들이니까.

그야 뭐

지상고도
그래왔으니까.

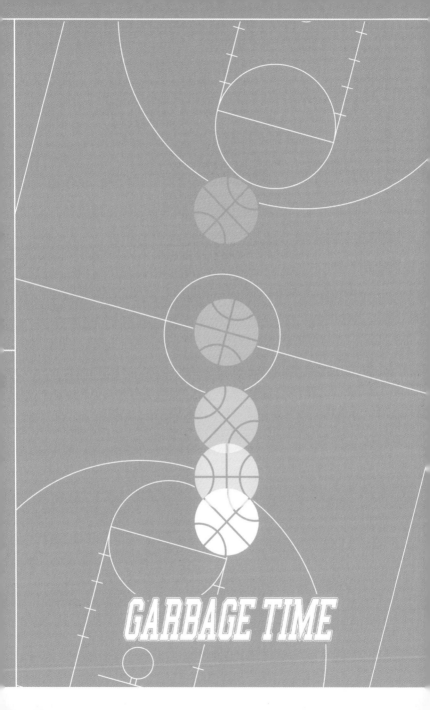

GARBAGE TIME

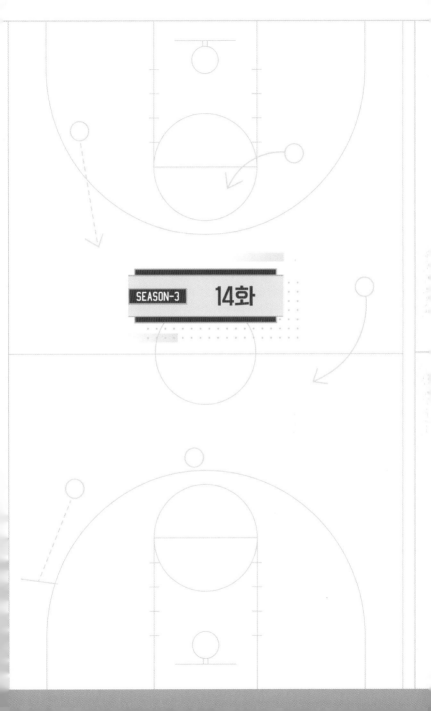

SEASON-3 14화

GARBAGE TIME

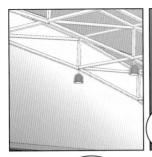

우리가 좀 늦게
도착했나봐.

게임 벌써
시작했다.

어?

뭐야?

06 : 34

지상고   진훈정산

1

2 : 10

지상고가
지고 있네?

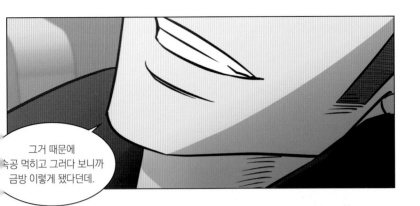

그거 때문에
속공 먹히고 그러다 보니까
금방 이렇게 됐다던데.

우리도 방금 와서
이 정도만 주워들었어.

안녕?
또 보네.

어 그래 안녕.
요약해줘서 고맙다.

우린 저쪽 가서
앉자.

왜? 옆에 와서
앉지.

우리 사이에
비밀이 어딨다고.

다음 경기 상대끼리
같이 앉으면
이상하잖아.

뭐,
싫음 말구.

근데

그쪽도
아마 몇 명
앉아 있을걸?

…모여서 좀
앉아 있지 말야

그냥 반대편으로
가자.

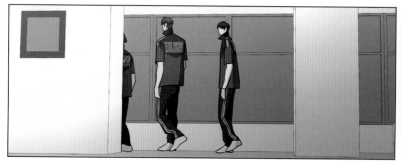

……

병X.

뭐 하고 있냐?

리바!

86

삼 대 삼!

속공 전개가 특기

*아웃넘버도 아닌데 그냥 들이받는다!

*수비 숫자보다 공격 숫자가 많은 상황.

핸들링이 좋은것에 비해선 턴오버가 많음.

예온아!

화려하고
도박적인 플레이를
즐기기 때문인듯.

타임아웃 쓴 지 얼마나 됐다고 또….

그러니까 말야.

그 타임아웃 안 쓰기로 유명한 이현성이 이러는 건 뭔가 조짐이 안 좋은 모양인데.

이러다 설마 지상고가 지는 거 아닙니까!?

우릴 이겨놓고 올라가서 저딴 허접들한테 진다니…!

그럴 가능성은 낮아.

지상고 실수 몇 개 덕분에 진훈정산이 잠깐 초반 흐름을 타고 있는 거뿐이야.

이 정도 점수 차까진 지상고가 충분히 메꿀 수 있어.

두 팀 사이엔 그 정도 전력 차가 있으니까.

다만 진훈정산이 워낙 페이스가 빠른 팀이라 1~2분만 정신 놓고 있어도 점수 차가 6점 8점씩 늘어난다고.

빨리 흐름을 끊지 못하고 점수 차가 더 벌어진다면 지상고한테도 꽤 힘든 경기가 될 거야.

얘들아~

점마들 저래 뛰어다닐 거 다 알고 있었잖아~

와 이래 정신을 못 차리노?

쟤들이 5분 만에 16점 넣었다고 우리도 똑같은 속도로 쫓아가야 하는 거 아니잖아~!

뭐 하러 자꾸 서두르는데? 어?

40분 다 지났을 때 1점만 앞서면 이기는 게 규칙 아이가?

시간 충분하니까 샷클락 다 쓰면서 볼 쫌 더 돌리고 찬스 보라고. 오케이?

옙.

그리고
다은이, 태성이!

리바운드 쯤
잡아봐~!

오늘따라
이상하게 볼이
쟤들 있는 데로만
튀어서…

인마!
경합이라도 해!
니들이 이기고도
남으니까.

니네 매치업이
니들보다 작고
팔도 짧은데
뭐 어렵다고.

니들
강인석이 허창현이
상대로도 리바운드
잘 잡았잖아~

저런 악어 팔,
티라노 팔 놈들한테
지지 마라고.

옙.

**지상고
나오세요~!**

지상고 애들은…

이번 경기
탑독으로서의
정신 무장이 안 돼 있어.

지들도 알겠지.

본인들이
많이 강해졌고

진훈정산 정도
쉽게 이길 수 있는
상대라는 걸.

그런데 운이든 뭐든
진훈정산이 초반
리드를 잡았고

지상고는 처음으로
경험하게 된 거지.

자기들보다
명백히 약한 팀에게
뒤지고 있는 상황을.

그래서 자꾸만
조급해지는 거야.

게다가 오늘은

그간 만나왔던
팀들과는 다르게

코너 오픈!?

때려!

우리에 대한 대비가 되어 있다.

수비가 빨랐다!

상호 슛이 코너에서만 위협적이라는 거는 모르는 모양새지만

수비 로테이션 완벽해!

김다은!

어쨌건 경기 시작부터 상호의 슈팅을 견제하고 있다.

그냥 니가 던져!

초반에
상호가 견제받지 않는 사이
3점 두어 개 넣고 시작하는 게
그 전까지 패턴이었는데….

리바!

아!?

가즈앗!!!

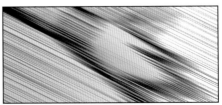

아앗!?

!?

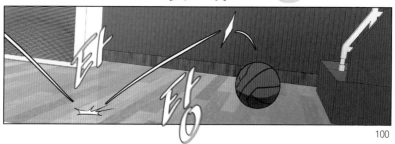

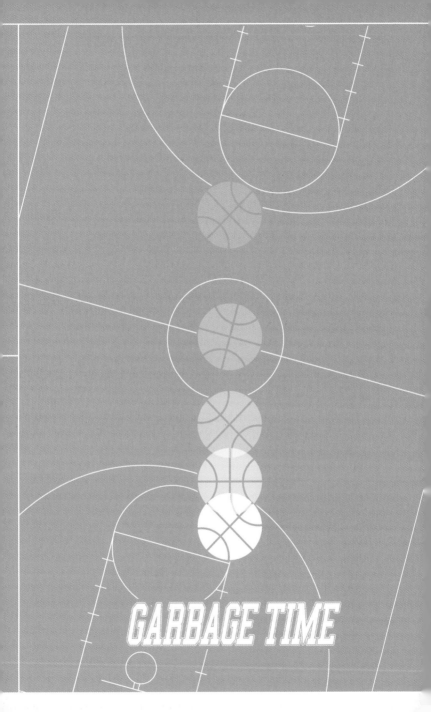
GARBAGE TIME

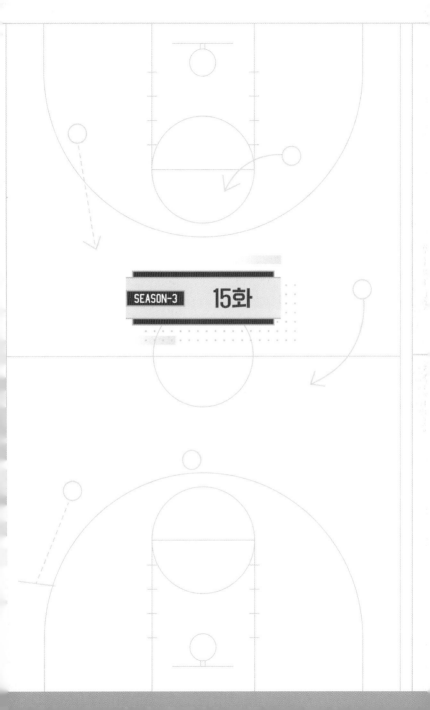

SEASON-3   15화

GARBAGE TIME

와, 뭐야?

방금 뛰는 거 봤어?

쟤가 허창현보다 높이 뛴다는 갠가보네.

대체 언제 백코트한 거야?

오오 공태성~!

경기장

고등학교 농구부

나이스 블록!

시끄럽다.

강문고 한 번 편하게 이겼다고 우리가 얼마나 피똥 싸면서 조별 예선 뚫고 올라왔는지 잊은 기가?

진지하게 쫌 해보라고.

니들은 8강 한 번 뚫었다고 만족하는 모양인데

내는 전혀 아이거든.

8강 뚫었다고 누가 만족을 해?

설마 나 들으라고 하는 소리냐?

찔렸다면 죄송하옵니다, 전하.

내 걱정 하지 말고 체력 안배나 잘하는 게 어때?

덮어놓고 싸돌아다니는 꼬라질 보아하니 2쿼터에 기절하는 미래가 눈에 보인다.

슛이나 넣어주시옵소서, 퐁당퐁당 슈터 폐하.

이 XXX이…

전하든 폐하든 하나만 해라.

…긴장 풀어보겠다고
장난 쫌 친 건데…

혼자
멋있는 척하기냐고ww

우리도
질 수 없음.

맞아요.
그럼…

가볼까.

어후씨!

나이스!

02 : 42

지상고   진훈정산

1

6 : 18

기상호가 오늘은
힘을 못 쓰네요.

그럴 수밖에.

쟤 맨투맨 수비가
특기잖아?

저 녀석이
매치업 가능한 포지션 범위 내에서
가장 위협적인 스코어러를 마크하는 게
저 녀석을 가장 효과적으로
쓸 수 있는 방법인데

진훈정산은
한두 명의 에이스한테
슛 기회가 몰리고 그러는
팀이 아냐.

이것도 진훈정산이
지상고에게 상성이 좋은 이유 중
하나라고 할 수 있지.

요! 김기정!
나이스 패스!

그나마 진훈정산에서
가장 많은 득점을 올리는 게
4번 황보석인데

110

애초에 매치업도 안 되니까.

김기정이 확실히 잘하긴 잘해.

나랑은 좀 안 맞지만.

근데…

왜 이렇게 오랜만에 보는 느낌이지?

어디 다쳤단 얘기는 못 들었는데.

…

여기서 VS 게임 하나 하죠.

갑자기?

김기정 VS 진재유.

지금이라면 뭐

진재유지.

뚫었어!

마무리!

굿샷!

00 : 39
지상고   진훈정산
1
10 : 20

오, 재유 햄~

이제야 밥값을 하는구만!?

니가 내한테 할 말이가?

버르장머리 없는 자식.

지만 이기고 싶은 줄 알지?

누가 8강 뚫은 거로 만족을 한다고…

딴 애들은 몰라도

우리가
득점하고 나면
진훈정산은 속공을
나가지 못한다.

속공이 없는
진훈정산의 하프코트 지공은
전혀 위협적이지 않아.

지공 상황에선

한 골도
안 내준다!

손끝에
걸렸어!

리바!

오케이!

재유!

뒤뒤뒤!

늦었어!

천천히!
천천히!

이제야 정신이
조금 돌아왔나보네.

마지막
공격이야!

00 : 22

지상고   진훈정산

1

10 : 20

한 자릿수 차이로
만들고 들어가자!

재유! 원샷!

우왓!?

점퍼!

굿샷!!!

진재유 오늘
점퍼 적중률
심상치 않은데!?

00 : 00

지상고   진훈정산

1

1쿼터
종료

12 : 20

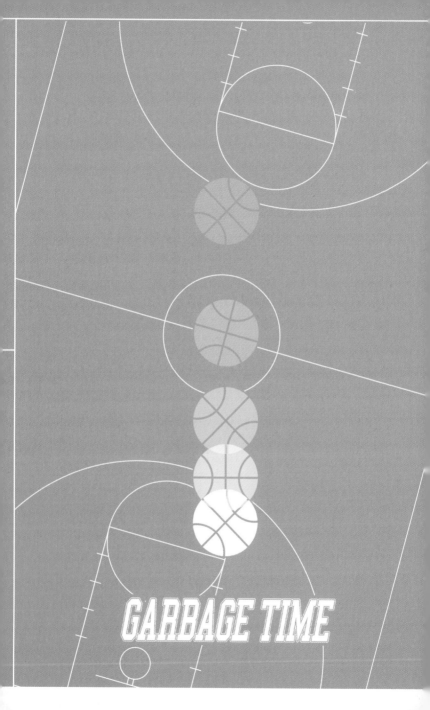

GARBAGE TIME

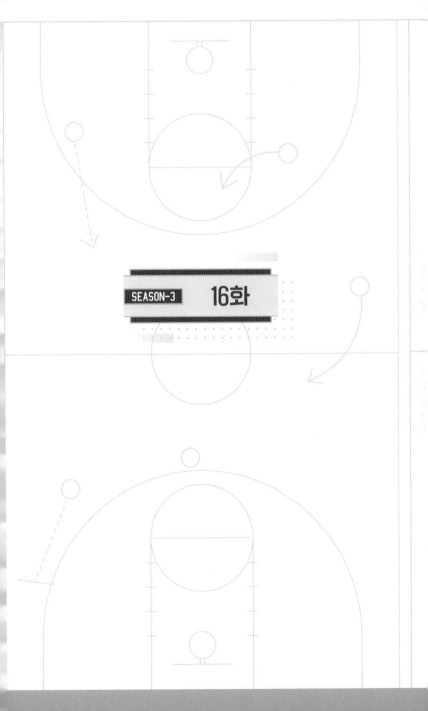

SEASON-3　　16화

GARBAGE TIME

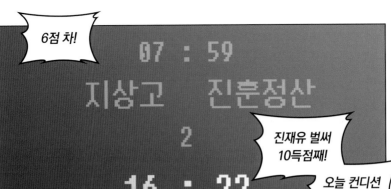

6점 차!

07 : 59

지상고   진훈정산

2

진재유 벌써
10득점째!

오늘 컨디션
좋아!

16 : 22

삐 이 익

me OUT

진훈정산
타임아웃!

와씨…

진재유 잘하는 건
알고 있었는데
득점까지 이 정도일 줄은….

이거 나 혼자선
못 막아.

딴 데 빵꾸 나더라도
수비 같이 해줘야 돼.

자, 들었지?

상언이.

예.

상호!

23번 니 거야!

오케이!

1쿼터 끝나고부터
몸 풀더니
이제야 나왔네.

132

07 : 45

지상고   진훈정산

2

16 : 24

쳇…!

비겁한 농구에
당해버렸군….

?

23번 고상언.

빠를 거 같은 얼굴을
하고서는 의외로 느린 데다
힘이 장사란 말이지.

여러모로
알 수 없는 놈.

속공이 잘 안 되니
지공 상황에서 어떻게든
해보려고 득점 루트가 다양한
고상언을 투입시킨 모양인데

이해가
안 되는 점은

왜 저 정도
되는 놈이

평소 출전 시간이
그토록 짧은 긴데?

비록 발이 느린 놈이라
진훈정산의 특기인
속공 농구에 어느 정도 방해가
되는 건 사실이지만은

고상언이가 가진
강점은 그걸
상쇄하고도 남는다.

141

한번 찍어서
막아보자.

이번엔

10번한테
패스

142

…주는 척하다

직접 득점…!

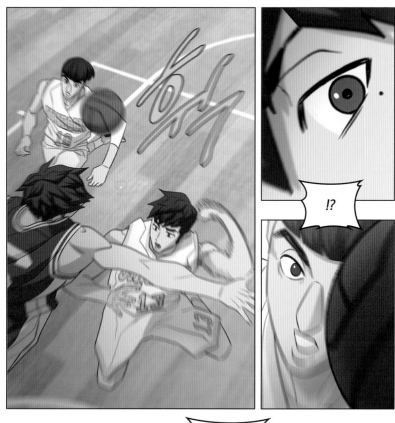

!?

우왁!?

볼 뒤로
흘렀다!

잡아!

144

그사이 지상고 전원 백코트!

아이고~ 이 대 일 찬스를 못 살리네.

같은 팀마저 속여버린 패스였어.

기정이 쏘리! 내 실수야!

\#10 김예은
3학년 184~5cm
그럭저럭

괜찮아 괜찮아! 내 패스 타이밍이 애매했어!

다시 천천히 하나 하자!

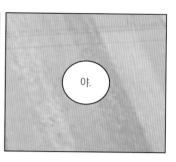

야.

오른쪽으로
가다가

멈춰서
점프슛.

…?

막아봐.

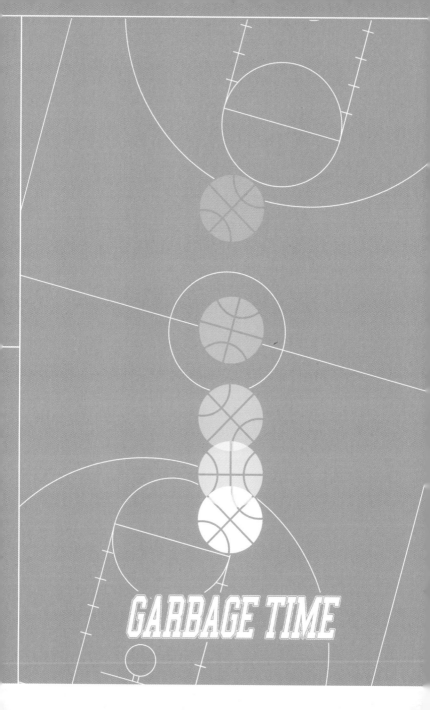

GARBAGE TIME

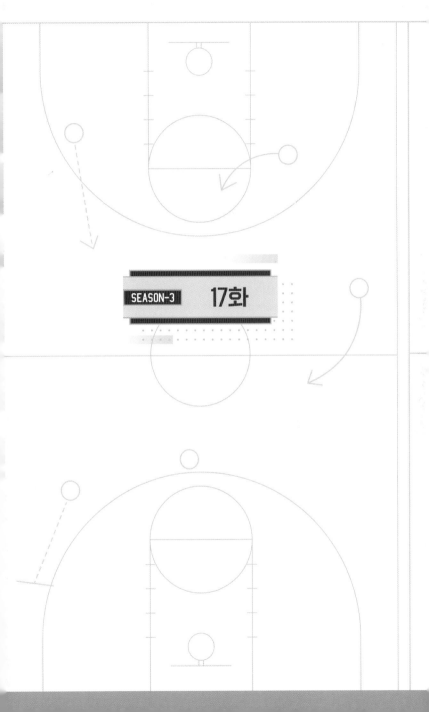

SEASON-3 17화

GARBAGE TIME

이게…

누굴 바보로 알고!!!

으앗!?

꺄악!

153

고상언
자유투 2구 중
1구 성공

07 : 06

│상고   진훈징

2

16 : 25

스크린!

오른쪽!

걸렸다!

아 X바…!

에라이.

빠르네….

나이스!

준수 인마!
슬슬 또 정신 놓는다!?
어!?

죄송합니다.

참…

공격이 안 풀리니
슬슬 또 속공 먹히기
시작하는구만.

방금 상황에서도
그랬듯

진훈정산의
전략은

재유가 수비에
균열을 만들면

고상언이
상호를 두고
균열을 메꾸는 것.

아쉬운
점은

평소 상호라면
엔간치 넣었을
슛들인데

오늘은 영 슛감이
신통치 않다는 거.

리바운드!

차근차근
다시 해보자!

옘병…

이래갖고는
이전이랑 다를 게
없는데…!

완전히
얄보이고
있다고…!

아~평소에
이런노마크3점은
4천개쯤떨져야한두개미스나는데
오늘되게운좋으시다ㅎ

자존심 상해!!

...?

더블…

…클러치!?

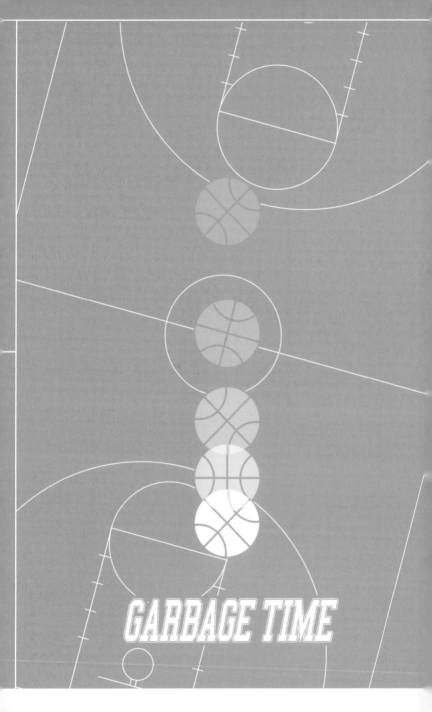

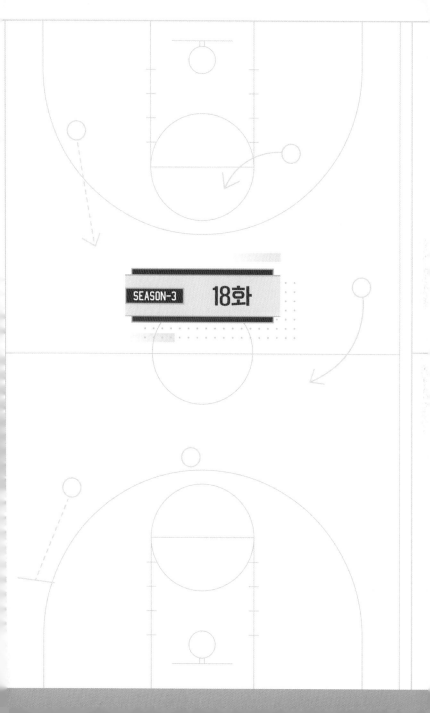

SEASON-3　　18화

GARBAGE TIME

백코트!

또라이야!?
왜
안 하던 걸 해!?

그냥 부딪혀서
파울이나 얻으라고!

손이
미끄러져갖고….

역대 최단 거리
에어볼로 기네스북에
등재되셨습니다!

축하드립니다!
븅X!

시도는
좋았다….

그래도

상호도
이제 슬슬 느낌이
왔겠지.

고상언의
약점은

디펜스라는 걸.

상언이…

여느 학교
에이스 못지않은
공격 스킬을 가졌지만

느린 발 때문에
우리의 특기인 속공의
위력이 줄어듦과 더불어

수비력이 조금… 많이…
부족해서 도통 경기에
활용하기 애매한 녀석.

쉽게 말해
공격 중엔 1.5인분을 하면서
수비 중엔 0.3인분을
하는 바람에 마진이
도루묵이다.

왜냐하면…

사이드스텝도
절망적으로 느린 데다
집중력도 부족하고…

게다가…
이런 말 하기
뭐한데

애가 좀
멍청하더라.

창현이보다?

비슷해.

하지만
이번 경기에선 평소보다
오래 기용할 수 있어.

오늘 상언이의
매치업 상대는 기상호.

일대일 공격력이
전무한 녀석이지.

이런 경기에선
상언이의 단점은
사라지고

에이스급
득점원이라는

장점만이
남는다.

학다리 샷!

체급대로라면
준수 햄한테 붙는 게 맞는데
내한테 오는 거 보면

분명 수비가
서투르다는 거겠지.

근데…

슛이
들어가지
않아서…

내가 할 수
있는 게…

아무것도…

…없는 건 아냐.

해결해!!!

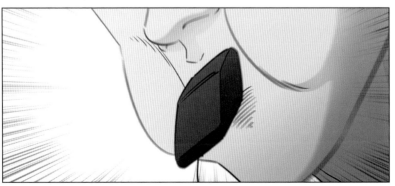

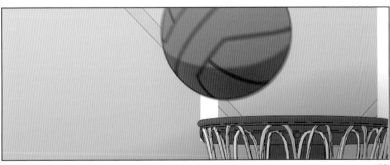

막아봐.

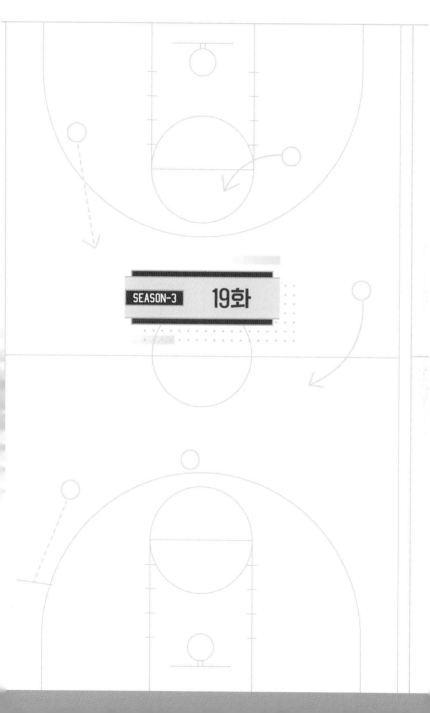

SEASON-3　　19화

GARBAGE TIME

진재유
찬스다!

코너 석점!

나이싸!!!

3점 명중!!!

05 : 36

지상고   진훈정산

2

21 : 29

진재유 오늘
슛감 미쳤다!

놓치는 게
없어!

진재유도
진재윤데…

돌파 이후
킥아웃 패스로
어시스트….

그럼 부디ㅡ

……

아….

그동안

이기적인 건

나였던 걸까….

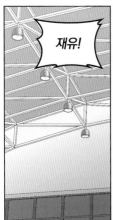

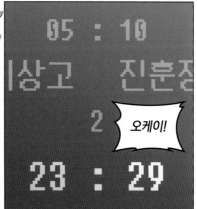

젠장.

6번을 보느라
4번 움직임에
신경을 못 썼어.

눈을 떼는 순간
사각에서 컷인.

게다가 연이어
돌파까지 허용했으니
상호한테 패스가 가는 것도
부담스럽겠지.

상호 짜슥,
왼쪽 돌파 피니쉬가 서툰 녀석이라
걱정했는데 아까 전엔
재치 있게 패스로
잘 마무리했다.

안쪽에선
상대가 안 되니
디나이에
올인인가…

자존심 상하지만…
이 사람 똥파워는
내가 쉽게 상대할
수준이 아이다.

과장 보태
안쪽에서 엔트리패스를
허용하는 순간
2점 헌납이나
마찬가지 수준.

내가 할 건
고상언이 최대한
밖에서 공격을
시작하도록 유도하는 것.

속공
실패다!

되게…

멀리 서 있네?

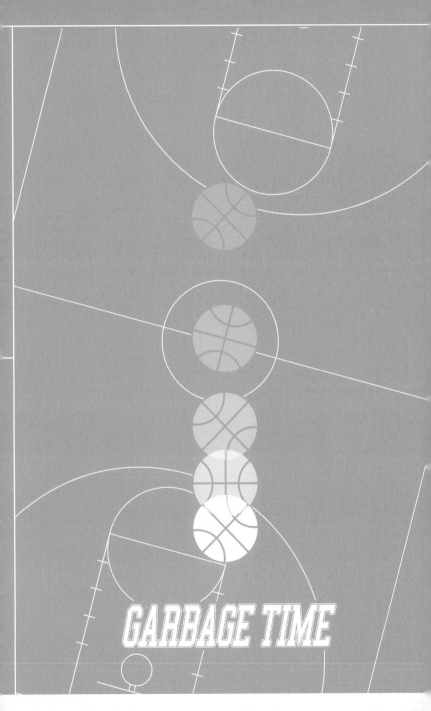

GARBAGE TIME

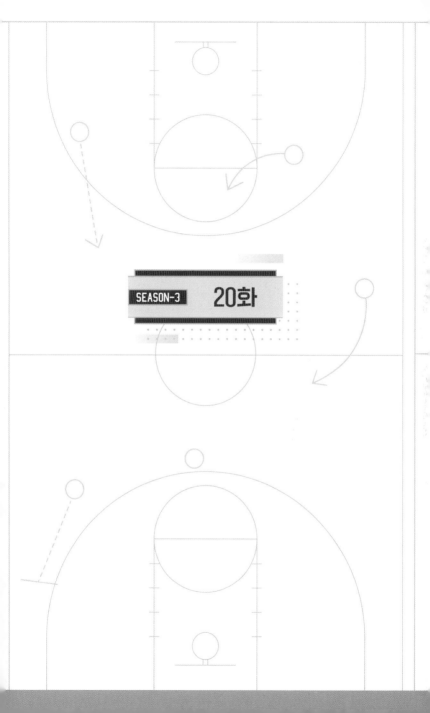

SEASON-3　20화

GARBAGE TIME

굿샷!!!

드디어
들어갔다!!!

와! 와!

말도 안 돼!
말도 안 돼!

상호가…!

돌파와 슈팅
이지선다로
상대를 농락하고 있어요!

04 : 51

지상고   진훈정산

2

26 : 29

이제
3점 차!

멈춰서
점프슛까지

완료.

그걸
이제 한다고!?

에?

언제 하겠다고
얘기는 안 했는데요?

헤이!

여기! 여기!

이 자식…!

계속 내가
밖으로 나가길
원하나본데

안에서
받아주겠어!

우왓!

볼 줘!

전반전
기상호와 고상언

세계관 최약자들의
가슴이 옹졸해지는
그 대결은

급격히
공격 효율이 떨어진
고상언의 패배였다.

아무것도 뚫지 못하는 창과
아무것도 막지 못하는 방패

00 : 00

지상고　　진훈정산

2

40 : 35

2쿼터 종료

2쿼터 후반
5분여 동안
17 대 6의
스코어링 런…

지상고가
완전히
흐름을 탔어.

진훈정산은 이제
이렇다 할 카드도
남아 있지 않은데…

하지만
기가노토사우루스가
티라노보다 약한 건
명백한 사실이야.

최근 연구 결과에 따르면
티라노의 근육량이
기가노토사우루스의 그것을
월등히 상회한다는 것이
밝혀졌으니까.

얘들아.

점수 차가
생각보다 적다.

경기 막판
우리 힘들 때 되면은
쟤들 흐름 한 번 더
올 거 같으니까

지금 우리 흐름일 때
3쿼터 빡 집중해서
차이 쫌만 더 벌려보자.
오케?

옙.

충분히
잘했어.

상언이도
고생했다.

3쿼터부턴
다시 호진이가
나간다.

점수 차가
생각보다
크지 않아.

분명
후반 갈수록
우리 흐름으로
넘어올 거야.

그때까지
최대한 버텨보자고.

옙.

한 경기
더 하고 가야지.

그치?

옙.

올라가!

다은이!

좋아!

06 : 45

지상고   진훈정산

3

48 : 37

벌써 두 자릿수
차이야.

진훈정산
득점이 너무
안 되는데?

점수 차가
스무스하게
늘어나네.

쟤들은 지상고면
할 만한 상대라고
생각했을 텐데….

지상고가
운만으로 원중고를
이긴 건 아니라니까.

은근히
세다고.

그래도 뭐,
4강까지 올라왔으니
진훈정산으로선 완전히
선전한 거지.

애들도 나름
결과에 만족할 거야.

몇 달 전…

기정이는
농구부를 떠나기로
결정했었다.

…할 얘기 있으면
해들.

마지막이니까…

혹시…

최종수
때문이냐?

13권에서 계속

가비지타임 12

초판 1쇄 발행 2024년 5월 1일
초판 2쇄 발행 2024년 6월 10일

지은이 2사장
펴낸이 김선식

부사장 김은영
제품개발 정예현, 윤세미 **디자인** 정예현, 정지혜(본문조판)
웹툰/웹소설사업본부장 김국현
웹소설팀 최수아, 김현미, 심미리, 여인우, 이연수, 장기호, 주소영, 주은영
웹툰팀 이주연, 김호애, 변지호, 안은주, 임지은, 조효진, 최하은
IP제품팀 윤세미, 설민기, 신효정, 정예현, 정지혜
디지털마케팅팀 김국현, 김희정, 신혜인, 이소영
디자인팀 김선민, 김그린
저작권팀 한승빈, 윤제희, 이슬
재무관리팀 하미선, 김재경, 윤이경, 이보람, 임혜정 **제작관리팀** 이소현, 김소영, 김진경, 박예찬, 이지우, 최완규
인사총무팀 강미숙, 김혜진, 지석배, 황종원 **물류관리팀** 김형기, 김선민, 김선진, 전태연, 주정훈, 양문현, 이민운, 한유현
외부스태프 리채(본문조판)

펴낸곳 다산북스 **출판등록** 2005년 12월 23일 제313-2005-00277호
주소 경기도 파주시 회동길 490
전화 02-702-1724 **팩스** 02-703-2219 **이메일** dasanbooks@dasanbooks.com
홈페이지 www.dasan.group **블로그** blog.naver.com/dasan_books
종이 더온페이퍼 **출력·인쇄·제본** 상지사 **코팅·후가공** 제이오엘엔피

ISBN 979-11-306-5182-8 (04810)
ISBN 979-11-306-5170-5 (SET)